*E*l futuro les pertenece a aquellos
que creen en la hermosura
de sus aspiraciones.

— Marie Curie

CREE SIEMPRE EN TI Y EN TUS SUEÑOS

Edición especial

Una colección de Artes Monte Azul™
Editada por Patricia Wayant

Artes Monte Azul™

Blue Mountain Arts, Inc., Boulder, Colorado

Número de tarjeta de catálogo de la Biblioteca del Congreso: 98-30607
ISBN: 0-88396-472-4

Los RECONOCIMIENTOS aparecen en la página 64.

Algunas marcas comerciales son usadas por licencia.

Hecho en los Estados Unidos de América.
Tercer impresión en español de esta edición: 2005

✪ Este libro se imprimió en papel reciclado.

Este libro está impreso en papel vergé de alta calidad, de 80 lbs, estampado en seco. Este papel ha sido producido especialmente para estar libre de ácido (pH neutral) y no contiene madera triturada ni pulpa no blanqueada. Cumple todos los requisitos de American National Standards Institute, Inc., lo que garantiza que este libro es duradero y podrá ser disfrutado por generaciones futuras.

Datos de publicación del sistema de catálogo de la Biblioteca del Congreso

Always believe in yourself and your dreams. Spanish
    Cree siempre en ti y en tus sueños : una colección de poemas / editada por Patricia Wayant.
    p. cm.
    ISBN 0-88396-472-4 (alk. paper)
    1. American poetry—20th century—Translations into Spanish. 2. Self-actualization (Psychology) — Poetry. 3. Success—Poetry. I. Wayant, Patricia, 1953- II. Title
PS619.S6A49 1998
811'.5080353—dc21

                                                                98-30607
                                                                CIP

Blue Mountain Arts, Inc.

P.O. Box 4549, Boulder, Colorado 80306, EE.UU.

Índice

Jamás dudes
de ti

Tienes tanto que ofrecer,
tanto que dar, y tanto
mereces recibir.
No lo dudes jamás.
Conócete y conoce todas
tus buenas cualidades.
Regocíjate de las fuerzas maravillosas
de mente y cuerpo.
Alégrate de las virtudes que son tuyas,
y congratúlate por todas las cosas
admirables que has hecho.

Mantén una actitud positiva.
Concéntrate en lo que
mayor felicidad te da,
y confía en tu persona.
Mantén el ágil ritmo de tu corazón,
la alegría de tus pensamientos, y
el bienestar de tu ser.

— Janet A. Sullivan

...bilidades de tu vida
...u tienen límites

Tienes todas las condiciones
para alcanzar todo lo que anhelas;
en ti están todas las posibilidades
que puedas imaginar.
Apunta siempre más alto
de lo que crees que podrás alcanzar.
Siempre descubrirás
que cuando libres tu talento
en alas
de tu imaginación,
todo lo podrás alcanzar.
Por el sendero de la vida
cuandoquiera te ofrezcan
ayuda o sabiduría
acéptalas con gratitud.
Mucho podrás aprender de aquellos
que ya recorrieron el camino.

No temas ni titubees
al salirte del rumbo establecido
y dirigir tus pasos hacia tu propio norte
si el corazón te dice
que ese es el camino para ti.
No dudes jamás que
siempre triunfarás
en lo que emprendas,
pero no olvides jamás las virtudes
de la persistencia, la disciplina
y la determinación.
Entonces tu destino será
la cristalización de tus sueños
en tu futuro.

— Edmund O'Neill

Tú mereces
una vida plena de felicidad

Tienes que escojer con cuidado tus metas
Saber lo que te gusta
y lo que no te gusta
Sé crítica acerca de lo que puedes hacer bien
y de lo que no puedes hacer bien
Escoge una carrera o una forma de vida
   que te interese
y trabaja duro para que sea un éxito
Acepta una relación con otro
que sea digna de todo lo que
   física y mentalmente
eres capaz de ser y de hacer
Sé honesta con la gente, ayuda si puedes
pero no dependas de nadie para que la vida
te sea más fácil o más feliz
Nadie podrá hacer eso por ti
Lucha por lograr cuanto quieras
Descubre la felicidad en todo lo que hagas
Ama con todo tu ser
Ama con un alma desinhibida
Haz un triunfo
de cada aspecto
de tu vida

— Susan Polis Schutz

¡Doce maneras de seguir sonriendo!

Aférrate a tus sueños, y no los abandones jamás ← ¡Muestra al mundo lo maravilloso que puedes ser! ← Confía en las posibilidades de la vida, y no te apresures a juzgar a los demás ← Confía en la estrella que brilla en tu cielo ← Encara tus problemas uno por uno para vencerlos ← Confía en toda tu fuerza interior ← Muestra al mundo la luz secreta de tu alma ← No huyas de aquellos que traen amor a tu vida ← Mira lo bueno en la vida y no sucumbas a las adversidades ← Muéstrate tal como eres, pues tienes cualidades especiales que te han sostenido hasta ahora, y que siempre te sostendrán ← No pierdas el valor ← ¡Llena tu corazón de felicidad y espárcela en todo lo que hagas!

— Douglas Pagels

Tu vida
está en tus manos

La vida te enfrenta con circunstancias que
tú puedes cambiar, mejorar,
y metamorfosear día a día.
La decisión es tuya; tu vida está en tus manos.
Cual artista en la rueda
tú eres el impulso que gira y moldea
la arcilla convirtiéndola en belleza.
Cual pincel en las manos del artista
creando frescura y novedad y hermosura,
tú puedes crear el panorama que tu alma
anhela para ti.

Cada uno de nosotros tiene el poder de
tomar las riendas de su vida —
de cambiar, de mejorar,
de metamorfosear día a día.
Ninguno de nosotros puede decir:
"Debo aceptar todo lo que la vida me trae",
porque el camino que elegimos
en la vida es nuestra decisión.
Tu vida está por siempre
en tus manos.

— Barbara J. Hall

¡Hay que creer en milagros!

Tienes que amar tu vida.
Tienes que creer que puedes
 lograr tus sueños
  y que tu alma es buena.
Al levantarte cada día
 sé feliz con el simple vivir,
y descubre de nuevo la belleza
 de este mundo.
Explora y celebra el regalo de la vida
 y los que te rodean.
Descubre lo único de tu persona.
Haz algo especial,
 y muestra a los demás
  las estupendas cosas del vivir diario.
No temas admitir
 tus propias flaquezas;
  pues es la esencia misma
   de tu humanidad.
Acepta la ayuda de los seres queridos.
Ten confianza, acepta sus regalos.
Aprovecha las posibilidades ofrecidas hoy,
 pues, aparte del hoy, nada resulta cierto.
Vive el presente bien.
No temas dar y recibir felicidad.
Inventa tu propio arco iris.
No dejes de seguir las posibilidades,
 pues podrán transformarse en milagros.
¡Siempre confía que sí hay milagros!

— Vickie M. Worsham

 No dejes que nada frene
tus fantasías, tus deseos
y tus anhelos.
No temas soñar
y perseguir tus sueños
  dondequiera te conduzcan.
Abre los ojos a su belleza;
abre la mente a su magia;
abre el corazón a sus posibilidades.
Sólo soñando descubrirás
quién eres, qué quieres,
  y qué puedes hacer.
No huyas de los riesgos,
  de asumir una posición,
  de comprometerte.
Haz lo que haga falta para
  que tus sueños se tornen realidad.
No dejes de creer en los milagros,
  y siempre, ¡cree en ti!

— Julie Anne Ford

Crea tu propio mundo

Cada día trae
sus recompensas
y sus desafíos especiales.
No todos tenemos
las mismas preocupaciones
ni responsabilidades,
porque la vida se amolda
a nuestra personalidad individual.
Es importante recordar que
creamos nuestro propio mundo.
Existen oportunidades infinitas
para que cambiemos y compongamos
los momentos que día a día
    se nos otorgan.
De nosotros depende decidir
cuál es el sendero que elegimos;
cuán lejos y cuán rápido
lo vamos a recorrer es la elección
que debemos hacer a solas.

— Dena Dilaconi

De ti depende

Recibes sólo una vida,
no más.
Busca las oportunidades de crecer
y no pierdas aliento
al buscarlas.
Convierte tus flaquezas
en buenas acciones;
toma las piezas rotas de tus sueños
y frágualos de nuevo.
No juzgues el futuro
a la luz del pasado;
el día de ayer es sólo un recuerdo
pero el mañana es una promesa.

Comienza cada día con tu mirada
puesta en lo bueno
y entonces ya verás
que puedes superarlo todo.
Sé responsable de tus acciones;
no busques los pretextos
para no ser mejor
de lo que puedes ser.
Si cometes errores,
consuélate al saber
que nadie está libre del error.
Da forma al mañana
con lo que haces hoy
y verás que la vida
te trae alegría y triunfo.

— Linda E. Knight

El secreto de la vida
es vivirla día a día

La vida está hecha de millones de momentos, vividos de mil maneras diferentes. Algunos, buscando amor, paz y armonía. Otros, sobreviviendo día a día. Pero no hay momento más pleno que aquél en el cual descubrimos que la vida, con sus alegrías y sus penas, debe ser vivida día a día.

Éste es el conocimiento que nos otorga la verdad más maravillosa. Aunque vivamos en una mansión de cuarenta cuartos, rodeados de riqueza y siervos, o luchemos de mes en mes para pagar el alquiler, tenemos el poder de estar totalmente satisfechos y vivir una vida con verdadero significado.

Día a día, tenemos ese poder, gozando cada momento y regocijándonos con cada sueño. Porque cada día es nuevo flamante, y podemos empezar de nuevo y realizar todos nuestros sueños. Cada día es nuevo, y si lo vivimos plenamente, podremos realmente gozar de la vida y vivirla en su plenitud.

— Regina Hill

No abandones jamás la esperanza

Un día
verás por fin
que ya es hora
de recoger los frutos.

Aquello que por
tanto tiempo deseaste,
finalmente acaba de ocurrir.

Y volviendo a vislumbrar
el pasado, te reirás de todo lo ocurrido
y te preguntarás,
"¿Cómo hice para sobrevivirlo?"

Sólo
no abandones jamás la esperanza.
Sólo
no dejes nunca de soñar.
Y
no dejes nunca que
el amor huya de tu vida.

— jancarl campi

Rumbo a un sueño

El sendero de los sueños está cubierto
de sacrificios
y bordeado de determinación.
Y aunque haya muchos obstáculos
en su recorrido
y se bifurque una y otra vez,
está marcado por la fe.
Se lo emprende con valor y esperanza,
persistencia y trabajo.
Se lo conquista con la voluntad
de enfrentar los desafíos y correr los riesgos,
de fracasar y de volver a empezar.
En su recorrido, tal vez encuentres
dudas, desencantos e injusticias.
Pero cuando recorras todo ese sendero,
hallarás que no hay felicidad mayor
que tornar tu sueño en realidad.

— Barbara Cage

Tan sólo seas quien eres

Ser quien eres
es suficiente.
Compartir quien eres
es suficiente.
Hacer lo que amas
es suficiente.

No hay que ganar la carrera
ni demostrar excelencia,
basta con acunar los sueños,
expresar tu yo,
y compartir el amor.

No dudes nunca de tu valor,
y por siempre recuerda,
sin sombras de dudas,
que se te valora verdaderamente.

— Donna Newman

Vive plenamente cada día, y celebra todo lo que eres

Haz resplandecer tu luz sobre la vida ⇐ Brilla con tu propia estrella ⇐ Haz lo que siempre quisiste hacer de tu vida ⇐ Vislumbra el don que eres tú ⇐ Trepa a la cumbre de tus sueños y esperanzas ⇐ Haz todo lo que debes hacer ⇐ No llegarás a la cumbre si no tratas de hacerlo, y es un viaje que debes emprender ⇐

Trata de encontrar más tiempo en tu vida ⇐ Hazlo para ti ⇐ Aquellos a quienes amas se regocijarán en tu felicidad ⇐ Cuando el calendario está repleto ⇐ No dejes que los días se vuelen ⇐ Recuerda tu juventud, cuando el tiempo era para siempre ⇐ Vuelve a descubrir tu infancia ⇐

Aparta un momento de cada día para hacer sólo lo que te gusta ⇐ El hoy ya no volverá, el ayer ya se fue ⇐ El secreto (si quieres saberlo) de la felicidad ⇐ Es saber que existe, que tu vida está bendecida ⇐ Vivir el momento, vivir cada día ⇐ Los dones que hacen brillar el sol están al alcance de tu mano ⇐ Ilumina tu mundo con amistad y amor y sueña con las estrellas ⇐

Vive plenamente cada día ⇐ Y celebra todo lo que eres.

— Douglas Pagels

No renuncies jamás
a los sueños que abriga tu corazón

A veces parece que los sueños
Se nos deshacen en las manos.
Creemos que fallamos,
Que todo cuanto intentamos
Con tanto esfuerzo alcanzar
Por siempre permanecerá
Fuera de nuestro alcance.

Pero un solo desencanto no puede
Deshacer los sueños
Construidos durante años
De trabajo y dedicación.
Aférrate pues a tus sueños.
Cree en ti,
Y verás que un
Mañana brillante aguarda
A la vuelta de la esquina.
Triunfarás.
Llegarás a tu meta.
Y tu sueño se tornará realidad...
¡Con tal que sigas creyendo!

— Jennifer Eller

Ten fortaleza,
y no te rindas jamás

Recuerda... hay una fortaleza más honda
y una sorprendente plétora de paz
a tu disposición.
Bebe de esa fuente;
deja que la fe te sostenga.
La vida continúa a nuestro alrededor
aún cuando la congoja parece detener el tiempo.
Siempre hay bondad en la vida.
Dedícale unos minutos a distraerte
de tu desasosiego —
regocíjate de la fortaleza de un árbol añejo
o complácete en el gorjeo de los pájaros.
Devuelve una sonrisa;
piensa que la vida está hecha de niveles,
de espirales que suben y bajan —
entre fáciles y provocadoras.
De todas ellas aprendemos;
fortalecemos nuestra fe;
refinamos nuestra comprensión.
Tal vez los tiempos difíciles sean
nuestros mejores maestros, pues nos enseñan
que no hay mal que por bien no venga.
Anhela el bien.
Ten fortaleza, y no te rindas jamás.

— Pamela Owens Renfro

Para alcanzar lo que anhelas en la vida...

Hace falta creer en los sueños
y en tu propia verdad.
Sobrevivir los desencantos
y aquellos momentos
  de verdadera soledad.
Despertar una mañana
  y descubrir que superaste
los momentos difíciles
nada más que por tu esfuerzo.
Hace falta enfrentar la verdad
de que el destino lo moldeamos nosotros.
Hallar que los pasos
  que hoy decidas dar
son los mismos que te
  conducirán al mañana,
guiados en todo momento
  por tu inquebrantable fe.
Comprender que los desencantos,
  los reveses y las derrotas
que la vida nos depara,
tan sólo son los peldaños
  que ascienden a la felicidad —
y si sigues el sendero
sin retroceder jamás,
entonces reconocerás
  tu propia fuerza
y podrás contemplar la vida
  desde la cumbre.

— Debra McCleary

Conoce tu ser

Conoce lo que puedes
y lo que quieres en la vida
Marca tus metas
y ponte a trabajar para alcanzarlas
Disfruta de cada día
Usa tu creatividad
para expresar tus sentimientos
Sé sensible
en tu visión del mundo
Ten confianza en tu ser
y honestidad para con tu persona
y con los demás
Sigue tu corazón
y sé fiel a tus verdades
Conoce que cuanto más des
más recibirás
Cree en tu ser
y entonces tus sueños
se volverán realidad

— Susan Polis Schutz

Sea lo que fuere lo que
tú puedes hacer,
o crees que puedes... empieza ya.
La osadía conlleva cierto genio,
poderío y magia.

— Johann Wolfgang von Goethe

Para lograr grandes cosas,
no basta con actuar,
sino que también hay que saber soñar,
no basta con planificar,
sino que también hay que saber creer.

— Anatole France

Nada podrá darte paz
si no la tienes en ti.

— Ralph Waldo Emerson

No hay límites
al éxito...

No hay límites
a lo que puedes hacer.
Tu talento y tu habilidad,
tu singularidad y tu ternura,
tu fortaleza y tu esmero
en todo lo que haces —
todo esto te ayudará
a lograr tus sueños.

No hay límites
a lo que la vida te ofrece.
El mundo está lleno de posibilidades
y tú, de promesas.
Busca, descubre, abarca de lleno
los bienes de la experiencia.
Cree en tu ser
y por siempre conocerás el éxito.

— Michelle Richards

Deja que tu corazón te muestre el camino

 Escucha
la melodía de tu corazón.
Está allí
en todo lo que llena tus ojos
de estrellas
y te hace cantar el corazón.
Escucha
tus sentimientos
y podrás oír
quién eres
y qué debes hacer.
Escucha
tus anhelos
y entonces sabrás
adónde hallar
aquello que tanto buscas.

Escucha
  la sabiduría de tu alma
  que intenta conducirte
  hacia tu destino.
Escucha
  la canción dentro de ti
  y tu vida
  se poblará de armonía.
  Serás
  lo que debes ser.
  La plenitud te cobijará
  y te inundará de paz
  y te sentirás tan feliz
  como nunca jamás —
  si tan sólo sabrás
Escuchar
  la melodía de tu corazón.

— Nancye Sims

Cuando estés luchando
por tomar una decisión difícil...

Te aconsejo que tomes la "prueba de la mecedora". Imagínate a los noventa años meciéndote bajo un árbol en la antigua mecedora y recordando los años de tu vida pasada. ¿Acaso te arrepentirás de haberlo hecho, o de <u>no</u> haberlo hecho? Toma la decisión que te sea más leve, y no te arrepientas de tu elección. Cree en las elecciones que haces.

— Anne Larnella Hood

Cuando la labor que te aguarda
es una montaña
frente a ti...

Cuando la labor que te aguarda
   es una montaña
frente a ti
tal vez te parezca imposible de escalar.
Pero no hace falta que la
escales de una vez —
sino paso a paso.
Da un pasito...
y otro pasito...
y otro...
y verás que...
la labor que era una montaña
frente a ti...

...es una montaña que
ya has escalado.

— Ashley Rice

33

Los tiempos difíciles
no duran
para siempre

En ocasiones los problemas
que debes enfrentar
son más de los que querrías
ocuparte de solucionar,
y el mañana no parece
ofrecer soluciones.

Tal vez te preguntes: "¿Por qué a mí?"
pero la respuesta a veces no está clara.
Hasta es posible que sientas
que la vida no es justa
por poner tantos obstáculos en tu camino.

Los caminos que cualquiera de nosotros
elige tomar no están nunca libres
de vallas y curvas,
pero tarde o temprano las vueltas
conducen a una senda más recta.

Cree en ti y en tus aspiraciones.
Pronto te darás cuenta de que
el futuro contiene muchas promesas
para ti.
Recuerda... los tiempos difíciles
no duran para siempre.

— Geri Danks

Un credo para llegar a ser lo mejor que puedes ser

Habla y se te oirá;
   que tus palabras sean tiernas
   y así se te juzgará.
Ama con ternura y sin egoísmo,
   sin anhelos de posesión.
Descubre la esencia de tu ser
   y lo que en verdad importa.
Aprende a dar libremente
   y recibirás
   tanto y tanto más.
Escucha las inquietudes de los demás
   y las tuyas desaparecerán.
Vive cada día como si fuera tu último
   atesorando cada instante.
Acepta todo lo que tienes
   y aquello que te dan espontáneamente.
Aspira a ser mejor de
   lo que eras ayer.
Pide, y tu más pequeño deseo
   se te otorgará.
Sueña con lo que puede ser —
   un mundo pleno de paz y belleza
   para que todos lo compartamos.

— Stephanie Robinson

¡Eres capaz de realizar proezas extraordinarias!

Sabe de qué eres capaz
y cree que es mucho más
de lo que ahora realizas.

Visualízate
en la cúspide de tu capacidad
y contémplate viviendo
todos los sueños que acuden a tu mente.

Cree que podrás
realizar tus sueños,
y que paciencia y tesón
los harán realidad.

Atrévete a hacer los sacrificios
   que te exigen,
y no permitas que tu presente
   sobrecoja a tu futuro.

Sabe que aprender y crecer
   pueden dar placer
y que puedes regocijarte en crear
   y triunfar.

Apercíbete de tus talentos,
   de quién eres
y de que sólo alcanzarás la dicha
   con el desafío de tu ser...
      ¡y tu triunfo!

— Barbara Cage

Cree en ti

Creo que todos tenemos adentro una brújula que nos conduce adonde anhelamos. No olvides confiar en tu brújula, consúltala a menudo, porque el conocer su presencia te dará fortaleza para lo que la vida te depare.

No permitas que te desvíen. Pídele la verdad a tu corazón, y te dará la respuesta y el discernimiento para tomar las decisiones que son para ti. Ama a todos, y no esperes agradecimientos. Haz lo mejor que puedas. Vive cada día en su plenitud. Nadie puede leer el futuro.

Recuerda: para todas tus preguntas, allí en tu fuero interno, y a la vera del camino, habrá respuestas más claras, soluciones aceptables. Hace falta paciencia, y confianza, para alcanzar la meta, solucionar problemas, y realizar sueños. Aunque por momentos parezca que ya no puedes seguir, conozco tu fortaleza, y sabrás sobrellevar todo lo que la vida te depare. Cree en ti.

— Donna Fargo

Nadie más que tú sabrá moldear el destino de tu propia vida

No necesitas a nadie
para fijar la dirección de tu vida.
Tú sabes lo que es para ti.
Dentro de tu corazón se encuentra
ese discernimiento especial
de tus planes para el futuro,
las esperanzas allí anidadas,
tus sueños entrañables.
Podrás titubear de tanto en tanto,
    aún temer tu camino,
pero eso es bien natural
    para todos nosotros.
Lo que debes recordar
es lo más importante para ti
y mantener vivas tus esperanzas
    y vivos tus sueños.
Entonces, con la fortaleza
de tu espíritu,
toma ese nuevo sendero —
en compañía de tu fe,
tu valentía,
y un corazón henchido de sueños.
Y recuerda que nadie más que tú
sabrá moldear el destino
de tu propia vida.

— Barbara J. Hall

He aquí cómo funciona.

Cada nuevo día es como una página en blanco en el diario de tu vida. Tienes el lápiz en la mano, pero no todas las líneas se escribirán como tú deseas; algunas derivarán del mundo y de las circunstancias que te rodean.

Pero, para las muchas cosas que sí están bajo
tu control, hay algo muy especial que es necesario que sepas...

El secreto de la vida consiste en hacer que tu historia sea tan hermosa como puede serlo. Escribe en el diario de tus días y llena las páginas de palabras que surgen del corazón. A medida que las páginas te conduzcan a través del tiempo, descubrirás sendas que añadirán para ti dicha y congojas, pero si puedes hacer estas cosas, siempre habrá esperanza en tus mañanas.

Sigue tu inspiración. Trabaja duro. Sé amable. Es todo lo que se puede pedir: Haz lo que puedas para abrir la puerta hacia un día... que de alguna manera especial esté lleno de belleza. Recuerda: La bondad será recompensada. Las sonrisas te serán devueltas. Diviértete. Encuentra en ti la fortaleza. Ten sinceridad. Ten fe. No te concentres en lo que te falta.

Date cuenta de que en la vida, las personas son los tesoros — y la dicha es la verdadera riqueza. Lleva un diario que describa cómo hiciste lo mejor que pudiste, y...

El resto se arreglará solo.

— Douglas Pagels

La fortaleza del espíritu humano

Los sueños se tornan realidad porque alguien cree que pueden, y sin pensar en posibles fracasos, lo arriesga todo en pos de ellos.

Las esperanzas se renuevan constantemente porque alguien no se rinde, y no permite que los riesgos involucrados le impidan probar.

Los deseos que parecen totalmente imposibles igual se pueden desear, y se tornarán realidad si se tiene fe.

La fe es lo único en la vida que te ayuda a sobrellevar cualquier congoja, aliviar las penas o los sinsabores, y a seguir creyendo en las dichas que te depara el mañana.

La fe es la capacidad de creer en la idea de que el bien terminará por surgir hasta de las peores situaciones posibles, de las penas o de los desencantos.

Nos ayuda a sobrellevar los tiempos malos con una sensación profunda de seguridad y fortaleza, y el conocimiento de que venga lo que venga, poseemos la capacidad de superar cualquier obstáculo, ignorar los desalientos y seguir luchando a pesar de los desencantos.

La fe es lo único en la vida que por siempre necesitarás, porque la fortaleza que poseas... es la fortaleza del espíritu humano.

— Regina Hill

No te rindas

Aunque en ocasiones te desalientes, no abandones la lucha. Sólo cuando llegues a la cúspide de tu capacidad podrás detenerte y decir "Lo intenté", y eso es lo que cuenta.

Si te retiras ante los obstáculos que aparecen en tu camino porque parecen excesivamente arduos, te estás traicionando. No temas correr riesgos ni tan siquiera fallar. No se trata de ganar o perder. Se trata de tu amor propio, de tu fe en quién eres: eso es lo que cuenta.

A través de la vida, por cierto te enfrentarás con desafíos que te harán perder la paciencia. Recuerda que tú eres quien saldrá adelante, siempre que tu corazón sepa que llegaste a la cúspide de tu capacidad, y eso es lo que cuenta.

— T. L. Nash

Aprende a soñar

Atrévete a soñar
pues el mañana es de los soñadores.
Atrévete a moldear un deseo
pues el deseo abre la puerta
de la esperanza,
y la esperanza nos alienta a todos
a vivir.
Atrévete a perseguir
aquello que nadie más sabe ver.
No temas contemplar aquello
que otros ni vislumbran.
Cree en tu corazón
y en tu propia bondad,
porque así los demás
sabrán percibirlos también.
Cree en la magia
porque la vida abunda en ella.
Pero sobre todas las cosas,
cree en ti...
porque dentro de ti reposa
toda la magia,
la esperanza, el amor
y los sueños del mañana.

— Ron Cristian

Vive tu vida
con valentía

Valentía es admitir tus temores y enfrentarlos cara a cara. Es tener la fortaleza de pedir ayuda y la humildad de aceptarla.

Valentía es defender tus principios sin preocuparte por lo que otros dirán. Es escuchar tu corazón, vivir tu vida y no aceptar sino lo que para ti es lo mejor.

Valentía es tomar el primer paso, dar un gran salto, o cambiar de camino. Es intentar lo que nadie supo hacer jamás, y todos creen imposible.

Valentía es mantener el espíritu en los desencantos, y considerar las derrotas no como el fin sino como un nuevo comienzo. Es creer que por fin las cosas mejorarán, aunque ahora parezcan peores.

Valentía es tomar responsabilidad de tus acciones, y saber admitir tus errores sin culpar a los demás. Es saber confiar, no en los demás, sino en tu habilidad y esmero para triunfar.

Valentía es negarse a desistir, aunque la imposibilidad te intimide. Es trazar tu meta, mantenerte fiel a ella, y hallar soluciones para los obstáculos.

Valentía es pensar en grande, apuntar bien alto y llegar bien lejos. Es adoptar un sueño y hacerlo todo, arriesgarlo todo, no desistir ante ningún obstáculo para tornarlo realidad.

— Caroline Kent

Haz lo que debas hacer...

Si hace falta, hazlo por tu cuenta —
la victoria será aún más dulce.
Si hace falta, hazlo sin prisa —
no importa llegar
con rapidez.
Si hace falta, vuelve a empezar
una y otra vez —
te acercarás a tu meta cada vez más.
Si hace falta, acepta todo
lo que debas hacer —
tal vez no sea fácil en sí,
pero facilita lo demás.
Si hace falta, ya no corras —
para que la felicidad pueda hallarte.
Si hace falta, admite que
necesitas ayuda —
eso te ayudará.
Si hace falta, desdeña el temor —
porque sin temores,
todo es posible.
Si hace falta, aprende a cambiar —
podría cambiar tu vida.
Si hace falta, ríndete —
hay paz en abandonar la lucha.
Si hace falta, haz un compromiso —
pero no abandones tus principios.

Si hace falta, sigue haciendo
aquello que parece imposible —
sólo es imposible si ya no lo intentas.
Si hace falta, detente —
y una nueva vida comenzará.
Si hace falta, prueba algo distinto —
te otorgará sabiduría.
Si hace falta, aguarda —
cosas sorprendentes acontecen cada día.
Si hace falta, vive en la incertidumbre —
la certidumbre es confiar en ti.
Si hace falta, ten fe —
y fielmente se te otorgará
fortaleza.
Si hace falta, avanza —
tus sueños te están aguardando
pacientemente.

— Nancye Sims

Sólo una es la clave del éxito: ¡Persevera!

Cree en ti
y en tu visión del futuro.
Rodéate de aquellos
que creen en ti
y te ayudarán a alcanzar
tu meta.
Mantén vivo tu sueño
a pesar de los desafíos
que acechan por tu camino.

Siempre habrá algunos
que intentan robar tu sueño
con críticas o risas.
No entienden aquello que te
impulsa a llegar más allá.

No hay derrota en la inercia —
ni tampoco hay éxito.
Sólo si corres los riesgos
que los demás temen
podrás alcanzar la excelencia.

Los cambios pueden ser aterradores,
pero sólo a través de ellos
podrás tú crecer.
Sólo si te desafías con
lo que parece imposible
podrás saber cuánto
sabes alcanzar.

Sólo una es la clave
del éxito:
persevera hasta triunfar.
Es posible que mucho debas cambiar,
pero tú puedes hacerlo.
La semilla de la excelencia
está dentro de ti.
Aliméntala, y no
habrá nada que no puedas hacer.

— Lisa Marie Yost

No desees ser sino
lo que tú eres,
y trata de serlo en forma perfecta.

— St. Francis de Sales

Sé quien eres,
y conviértete en
lo que seas capaz
de convertirte.

— Robert Louis Stevenson

Cree siempre en ti
y en tus sueños

Cree en aquello que te hace sentir bien.
Cree en aquello que te da dicha.
Cree en los sueños
    que siempre deseaste se tornaran realidades,
    y dales todas las oportunidades
        para que así sea.
La vida no hace promesas
    sobre lo que te reserva el futuro.
Debes buscar tus propios ideales
    y animarte a cumplirlos.
La vida no te ofrece garantías
    sobre lo que tendrás.
Pero te ofrece tiempo para decidir qué buscas
    y arriesgarte a encontrarlo
y a revelar algún secreto
    que encuentres en tu senda.
Si tienes voluntad
    para hacer buen uso del talento
        y de los dones que son sólo tuyos,
tu vida estará llena
    de tiempos memorables
        y de inolvidable alegría.
Nadie comprende el misterio de la vida
    o su significado,
mas para aquellos que deciden
    creer en la verdad de lo que sueñan
        y en sus fuerzas,
la vida es un singular regalo
    y nada es imposible.

— Dena Dilaconi

Tú puedes moldear
tu propio destino

Eres una persona maravillosa,
haz pues cosas maravillosas.
Tú puedes transformar
el mundo en que vivimos.
Tienes un propósito;
tienes la fortaleza;
en ti hay magia.
Tú puedes crear belleza,
recordar el pasado,
soñar el futuro.
Puedes dar rienda suelta
    a la imaginación.
Tienes la valentía de dudar
y el poderío de cambiar.
Las únicas limitaciones que tienes
están en tu propia mente;
no te conformes con menos de lo
que realmente puedes ser.
No te compares con otros;
sueña tus propios sueños
y moldea tu propio destino.
Vive en pleno cada día.
Intenta dar más que lo que tomas.
Transforma este mundo en un mejor lugar
y siempre — siempre —
escucha tu corazón
porque sólo tú sabes qué es lo mejor para ti.

— Vickie M. Worsham

Ojalá que ningún sueño esté jamás más allá de tu alcance

Ojalá que jamás haya caminos
   sin salida
en tu vida, ni senderos recorridos
   sin bendiciones.
Ojalá que ningún día sea tan breve
   que no quepan en él el amor y la risa;
ojalá que el tiempo no escasee jamás
   para que puedas regalarte
   quietud y dulces reflexiones.
Ojalá que tus amigos no estén jamás
   tan ocupados
   que no te puedan ver,
   ni haya seres queridos
   que no te amen de todo corazón.

Ojalá que ningún sueño esté jamás
   más allá de tu alcance
ni haya una estrella que
   no puedas acariciar
cuando emprendas tu camino.
Ojalá que puedas recordarlo todo
   lo que tuviste desde el comienzo
y aquello que es tuyo para siempre.

— Mary Klock Labdon

Los sueños se van realizando
paso a paso

Por el camino de la vida
en pos de los sueños,
la mejor manera de avanzar
es la más sencilla:

Paso a paso.

No mires para atrás: si lo haces
sentirás el peso de todos tus
ayeres sobre tus espaldas.
Ni te desveles vislumbrando lo que te espera.
cuando llegues a esa
curva en el camino
o a la cumbre de la colina,
serás mejor y más fuerte
que nunca jamás.

Sigue tu sendero paso a paso,
y día a día.
Y hallarás una vida pletórica y grata
que jamás creíste posible.

— A. Rogers

Prométetelo

Prométete que siempre recordarás que
eres una persona muy especial ⤶
Prométete que te aferrarás a tus
esperanzas y acariciarás tus estrellas
⤶ Prométete que vivirás con felicidad
los años y las distancias ⤶ Prométete
que sabrás siempre recordar y siempre
sabrás anticipar ⤶ Prométete que
harás lo que siempre quisiste hacer ⤶
Prométete que acariciarás tus sueños
cual tesoros preciados ⤶ Prométete
que disfrutarás de la vida día a día
y paso a paso ⤶ Prométete una vida
plena de amor y alegría y todos tus
sueños se tornarán realidad.

— Collin McCarty

Crea siempre tus propias aspiraciones y vive tu vida de lleno

Los sueños puede realizarse
si tú piensas
qué quieres de la vida
Conócete a ti mismo
Descubre quién eres
Selecciona tus metas
Sé honesto contigo mismo
Cree siempre en ti
Encuentra muchos intereses
 y persíguelos
Descubre qué es lo importante para ti
Descubre qué es lo que haces bien
No temas cometer errores
Empéñate para tener éxito

Cuando las cosas no anden bien
no te resignes: esfuérzate más
Otórgate la libertad
   de probar cosas nuevas
Ríe y diviértete
Ábrete al amor
Comparte en la belleza
   de la naturaleza
Aprecia todo lo que tienes
Ayuda a los menos afortunados
Lucha por la paz en el mundo
Vive tu vida plenamente
Crea tus propios sueños y
persíguelos hasta que
   se tornen realidad.

— Susan Polis Schutz

No olvides jamás que eres especial

No olvides jamás tu singularidad.
Sé lo mejor que puedes ser
y no la imitación de otros.
Descubre tus puntos fuertes
y úsalos en forma positiva.
Haz caso omiso de aquellos
que se burlan de tus elecciones.
Recorre el camino que elegiste
y no vuelvas la mirada con arrepentimientos.
Tienes que atreverte
para que se realicen tus sueños.
Recuerda que aún hay mucho tiempo
para recorrer otro camino — y otro más —
en tu travesía por la vida.
Detente para hallar el rumbo
que te corresponde.

Aprenderás algo más
en cada jornada,
no temas pues cometer errores.
Repítete que está bien ser
lo que eres.
Haz amistades que respeten tu verdadero ser.
Pero también, encuentra momentos para estar
a solas, y apercibirte de lo agradable
que tu propia compañía puede ser.
Recuerda que estar a solas
no siempre significa soledad;
puede ser una hermosa ocasión
de descubrir tu creatividad,
tus sentimientos más hondos,
y la quietud y serenidad de tu alma.
No olvides jamás que eres especial.

— Jacqueline Schiff

Sigue tu destino
adónde sea que te lleve

Hay un momento en la vida, en que comprendes que ha llegado el tiempo de cambiar, y si no lo haces, nada jamás podrá cambiar. Comprendes que si al fracasar, no tienes el coraje de comenzar de nuevo, la vida seguirá sin ti.

La dicha no nos acompaña siempre y nuestra vida a veces se torna diferente de lo que nos imaginamos. No siempre nuestros días brindan lo que esperamos. Sin comprender por qué, a veces toman rumbos tan imprevisibles que ni en tus sueños se hubieran asomado. Pero igual, si no te animas a escoger un camino, o a realizar un sueño, estás en gran peligro de vagar sin rumbo y perderte.

Más bien que preguntarte con mil ansias por qué tu vida se ha tornado como es ahora, acepta el camino abierto que te espera. Olvídate de lo que fue, no te confundas. Eso ya pasó. Sólo el presente importa. El pasado es ya una ilusión, y el futuro todavía no existe. Pero vivimos hoy.

Mide tus pasos uno a uno, sin perder la fe, guardando tu valor y confianza. Con tu frente alta, no temas soñar, ni mirar las estrellas. Un poco más de paciencia, tu vigor volverá y encontrarás tu vía. Una senda más bella y serena de lo que has soñado te llevará adonde quieras que te lleve, cumpliendo todos tus deseos.

No pierdas confianza en tus fuerzas, y toma esa nueva vía. Verás que está llena de alegría, de aventuras y deleite como en tus sueños no imaginaste.

— Vicki Silvers

RECONOCIMIENTOS